Die Glocke
von Weihenstetten

Otfried Preußler

Die Glocke von Weihenstetten

Herbert Holzing

Thienemann

Weihenstetten, das ist ein Bauerndorf, wie es im bayrischen Oberland ihrer viele gibt. Ein Bauerndorf wie aus dem Bilderbuch. In der Mitte, auf einem kleinen Hügel, die Kirche mit ihrem Zwiebelturm und dem Friedhof. Daneben das Wirtshaus zur Post mit dem Biergarten und der Kegelbahn. Auch die Bauernhöfe können sich sehen lassen, ein gutes Dutzend wohl. Dazu noch die Dorfschule und die Schmiede, das Mesnerhaus und der Kramerladen, der Feuerwehrschuppen und sonst ein paar Häuser, versteckt zwischen Büschen und Bäumen.

Friedlich gingen sie ihrem Tagwerk nach, die
Leute von Weihenstetten. Damals gab es nur
wenige Landmaschinen im Dorf. Das Korn
wurde mit der Sense gemäht. Pferde zogen
den Erntewagen. Die Glocke läutete hoch vom
Kirchturm den Morgen ein, den Mittag, den
Feierabend. Und um die Vesperzeit läutete sie
den Englischen Gruß, den Angelus.

Dann brach der Krieg aus, noch wütete er in weiter Ferne. Das Leben der Leute von Weihenstetten ging seinen gewohnten Gang. Nur daß immer weniger Männer und Burschen zu sehen waren im Dorf. Sie waren Soldaten geworden. Bald mußten die Frauen und Kinder die Felder allein bestellen, das Vieh hüten und die Ernte einbringen. Auch der Schullehrer mußte zu den Soldaten. Ein altes Schulfräulein aus der Stadt versah nun den Unterricht in der Dorfschule.

Manchmal kamen die Männer, die Burschen auf
Urlaub nach Hause, für zehn, zwölf Tage. Der
Huber Lenz und der Mitterer kamen für immer.
Der eine hatte in Frankreich das rechte Bein
verloren, der andere später in Rußland den
linken Arm.

9

Briefe und Postkarten gingen hin und her, von
der Front nach Hause, von Weihenstetten ins Feld
hinaus. Und manchmal brachte die Botenfrau
einen Umschlag mit einer traurigen Nachricht.
Dann gingen sie auf den Friedhof, die Frauen,
die Kinder, die alten Leute von Weihenstetten.
Zum Andenken an den toten Bruder, den Sohn,
den Vater stellten sie an der Friedhofsmauer ein
Birkenkreuz auf.

Der Herr Pfarrer Kammerer, alt schon und recht
gebrechlich, las ihm die Totenmesse. Die Glocke
läutete ihm vom Turm wie den andern, die
in der Fremde gefallen waren,
den letzten Gruß.

Der Krieg ging ins fünfte Jahr, er kam langsam
näher. In manchen Nächten brausten die
Bombengeschwader über das Dorf hinweg. Die
Leute in Weihenstetten wußten, daß sie sich vor
den fremden Flugzeugen nicht zu fürchten
brauchten: Weihenstetten war viel zu klein, viel
zu unbedeutend für sie. Doch München, zum
Beispiel – dort luden sie ihre tödliche Fracht
ab. Nicht selten war Feuerschein in der Ferne
zu sehen. Fremde kamen ins Dorf: Stadtleute,

12

Frauen und Kinder zumeist, auf der Flucht vor
den Bomben. Ein Koffer, ein Rucksack, ein
Leiterwagen – mehr hatten sie nicht gerettet
von ihrer Habe. Die Dorfleute brachten sie
unter. In ihren Häusern, auf ihren Höfen.
Irgendwo mußten die armen Menschen ja eine
Bleibe finden.

Der Krieg ging ins sechste Jahr. Da kam der Herr
Pfarrer Kammerer eines Abends zum Postwirt,
bleich im Gesicht und verstört. Es war in der
Woche nach Weihnachten. In der Wirtsstube
saßen der Mitterer und der Huber Lenz mit dem
alten Ullertinger beim Bier. Der Wallner Sepp
und der Bachleitner Toni, der Schmied und der
Schullehrer, die gerade auf Urlaub gewesen sind,
waren auch dabei.
»Seht euch das an!« rief der Pfarrer. »Sie haben
mir aus der Stadt einen Brief geschickt, einen
Befehl vom Kreisleiter! Alle Glocken im Land
werden eingeschmolzen, die unsere auch!
Deutschland, so schreiben sie, braucht keine
Glocken – es braucht Kanonen! Am Morgen nach
dem Dreikönigstag muß sie bereitstehen, unsere
Glocke, dann wird man sie abholen!«
Der Schullehrer brachte den Pfarrer nach Hause.
Trübe starrten die andern in ihre Bierkrüge. Viel
war da nicht zu sagen – oder? Nach langem

Schweigen meinte der Ullertinger: »Schad, daß
ich so ein alter Krauter bin. Ich wüßt schon, was
ich zu tun hätt...« Die Männer beratschlagten
miteinander, leise, die Köpfe zusammengesteckt.
»Ihr wißt, was mit uns geschieht, wenn die Sache
aufkommt«, sagte der Schmied. Und der Mitterer
meinte, das wüßten sie allerdings.
Es kam der Dreikönigstag. Ein letztes Mal ließ
sich die Glocke von Weihenstetten vernehmen,
weithin erscholl ihre Stimme übers verschneite
Land. Dann ließen der Schmied und der Wallner
Sepp sie herab vom Glockenturm. Der Herr
Pfarrer Kammerer betete um Vergebung, die
Frauen und Kinder weinten.

Neben der Straße hatte der Bachleitner Toni vier starke Balken zurechtgelegt für die Glocke. Die Leute von Weihenstetten zogen an ihr vorüber, um Abschied zu nehmen. Und der Herr Pfarrer Kammerer kniete nieder, mitten im Schnee.

Die Nacht brach herein, eine Nacht ohne Mond
und Sterne. Lautlos näherte sich ein Pferde-
schlitten der Kirche. Der Wallner Sepp lenkte ihn.
Wie Schatten huschten der Schmied und der
Bachleitner Toni herbei, der Huber Lenz und der
Mitterer. Sie hoben die Glocke von ihrem Gestell
auf den Schlitten – und ab ging die Fahrt!

19

Die Tage zuvor hatte klirrender Frost geherrscht.
Feld und Flur waren beinhart gefroren. Der
Wallner Sepp lenkte den Schlitten ins
Weihenstettener Moor hinaus zu der alten
Torfhütte. Dort verbargen sie nun die Glocke und
häuften Reisig darüber auf. Und der Mitterer
Felix, sonst nicht gerade der Frömmsten einer,
befahl sie dem Schutz des Herrn.
Als sie den Rückweg antraten, setzte dichter
Schneefall ein. Am nächsten Morgen würden die
Schlittenspuren verweht sein. Nun wußten sie,
daß der Herrgott auf ihrer Seite war. Vor der
Kirche, inmitten der Birkenkreuze, hat schon der
alte Ullertinger auf sie gewartet. Dann haben sie
einen heiligen Eid geschworen. Stillschweigen
über alles, was sie getan hatten, Stillschweigen
gegen jedermann. Erst wenn der Krieg zu Ende
sei, dürfe die Glocke geborgen werden. Und
jeden Tag nach dem Angelus sei sie für jeden
Dorfgenossen zu läuten, der noch zu Hause
erwartet werde von seinen Eltern, von Weib und
Kind – eine Viertelstunde lang. Den Weibern

haben sie nichts gesagt davon, auch dem Herrn
Pfarrer nicht und dem Schullehrer auch nicht.
Besser, die wußten nichts von der ganzen Sache,
dann waren sie außer Gefahr.
Am Morgen nach dem Dreikönigstag kam ein
Lastwagen angeschnauft. Er hatte die Glocken
von Simmersmoosen, von Frauenbichl, von
Martinsbrunn schon geladen. Ein Mann aus der
Stadt, bekleidet mit braunem Mantel und
brauner Mütze, die Hakenkreuzbinde am linken
Arm – der Mann aus der Stadt bekam einen
roten Kopf, er brach in ein fürchterliches Gebrüll

aus: »Deutschland braucht keine Glocken, wir
brauchen Kanonen in Deutschland! Wo ist die
Glocke von Weihenstetten?«
Der Ullertinger kratzte sich hinterm Ohr. Viel-
leicht, so meinte er treuherzig, habe man sie
schon abgeholt. Die andern aber, darunter der
Schmied, der Bachleitner und der Wallner Sepp,
standen mit undurchdringlicher Miene da, jeder
die heilige Unschuld selbst. Der Kreisleiter hielt
sich an den Herrn Pfarrer Kammerer, er ließ ihn
von seinen Leuten mitnehmen in die Stadt.
Zwei Tage später rückte die Polizei an. Da waren
die Urlauber längst wieder unterwegs an die Front.
Suchhunde schnüffelten in der Umgebung von
Weihenstetten nach der verschwundenen Glocke.

Vergebens! Der Schnee hatte alle Spuren getilgt,
selbst für Hundeschnauzen.

Acht Tage vergingen, da kam der Herr Pfarrer
wieder zurück ins Dorf. Er hatte nichts sagen
können wegen der Glocke, auf Ehr und Gewissen
nicht. Da hatte der Kreisleiter ihn hinausgewor-
fen. Seither war er ein bißchen verwirrt, der Herr
Pfarrer Kammerer. Er kicherte, wenn er im
Lehnstuhl saß, vor sich hin und wackelte mit
dem Kopf.

Das Frühjahr brach an, der Krieg ging zu Ende.
Eines Morgens rasselten Panzer zum Dorf herein,
darauf saßen Soldaten in amerikanischer
Uniform. Sie lachten und winkten. Das alte
Schulfräulein aus der Stadt übersetzte, was die
Soldaten riefen. Und die Leute von Weihen-
stetten? Es dauerte eine ganze Weile, bis sie
begriffen hatten: Der Krieg war zu Ende!

Wahrhaftig, er war zu Ende! Jetzt hätte die
Glocke weithin erschallen müssen vom Kirchturm – und Friede! hätte sie läuten müssen
mit lauter Stimme: Friede, Friede und wieder
Friede!

Da besannen sie sich des Schwurs, den sie
damals gemeinsam mit ihren Freunden geleistet
hatten, in jener Wintersnacht: der Huber Lenz
und der Mitterer und der alte Ullertinger. Sie
haben die Glocke alsbald herausgeholt aus der
Torfhütte, diesmal am hellen Tag. Und es haben
die Kinder von Weihenstetten ihnen dabei
geholfen.
Und dann haben sie sie hinaufgezogen, die
Glocke, an ihren alten Platz. Und der Herr
Pfarrer Kammerer hat im Lehnstuhl dabeige-
sessen. Er hat mit dem Kopf gewackelt und hat
sie gesegnet, die wiedergefundene Glocke –
und alle, die sie dem Dorf gerettet hatten in
schwerer Zeit.

29

Es geschah, wie beschworen. Die Glockenbuben
läuteten nun die Glocke an jedem Tag nach dem

30

Angelus eine Viertelstunde lang für die Männer und Burschen des Dorfes, die noch zu Hause erwartet wurden: es mochten mehr als zwei Dutzend sein.

Der Wallner Sepp ist als erster zurückgekommen, den Arm in der Schlinge. Über den Böhmerwald hatte er sich herübergeschlichen ins Bayernland. Auch der Schmied hat nicht lang auf sich warten lassen. Er kam aus dem Lazarett, mit verbundenem Kopf. Noch in den letzten Kriegstagen hatte es ihn erwischt, ein Auge hatte er drangeben müssen. Der Schullehrer und der Postwirt, wußte er zu berichten, der Schullehrer und der Postwirt seien gefallen, nur wenige Schritte von ihm entfernt: auf die brauchten sie nicht zu warten.

Es kamen noch manche, es blieben noch viele aus. Allzu viele. Kein Mensch wird jemals erfahren, wo sie begraben liegen im fremden Land.

Blieb noch der Bachleitner Toni. Ein Jahr lang hatten sie nichts gehört von ihm. Bis dann Nachricht aus Rußland kam. Eine Postkarte brachte die Botenfrau.

Mit einem roten Halbmond und einem roten
Stern war die Karte versehen. Er sei in Gefangen-
schaft, schrieb der Toni, es ginge ihm gut.
Die Wahrheit sah anders aus. Schuften mußte der
Toni im Lager, als Zimmermann, später im
Steinbruch. Harte Arbeit bei kargem Brot.
Sommers in glühender Hitze, winters bei tiefem
Frost. Und kein Ende war abzusehen, das war am
schlimmsten. Kein Ende der Plackerei. Dem Toni
sein Trost war in diesen schweren Zeiten die
Glocke, die Glocke von Weihenstetten. Er wußte
ja, daß sie für ihn geläutet wurde, an jedem Tag
nach dem Angelus, eine Viertelstunde lang –
auch für ihn.
Fünf Jahre hat es dann noch gedauert, bis der
Bachleitner Toni nach Hause gekommen ist. Fünf
Jahre sind eine lange Zeit, auch in Weihenstetten.
Die Bombenflüchtlinge waren zurückgekehrt in

die Stadt. Dafür kamen nun die Vertriebenen: aus
Böhmen, aus Mähren, aus Schlesien kamen die
meisten, arm und erschöpft. Und für den Herrn
Pfarrer Kammerer, der sich in seiner Gebrech-
lichkeit kaum noch sehen ließ unter den Leuten,
versah nun ein junger Kaplan die Seelsorge und
den Gottesdienst.

Und der Bachleitner Toni? Am Vorabend des Dreikönigstags, bei Einbruch der Dunkelheit und bei dichtem Schneefall: da ist er mit einem Mal vor der Tür gestanden auf seinem Hof, ganz ausgemergelt und blaß. Eine alte Pelzmütze auf dem Kopf. Bekleidet mit einer zerschlissenen Wattejacke und russischen Winterstiefeln.

»Mein Gott!« hat die Bachleitnerin gerufen bei
seinem Anblick. »Bist du es wirklich, Toni?« Und
wie ihr der Toni bestätigt hat, daß er es wirklich
sei – da ist sie ihm um den Hals gefallen, und
beide haben geweint vor Glück. Und vor
Dankbarkeit.
Am Dreikönigstag hat es dann in der Kirche von
Weihenstetten ein großes Hochamt gegeben, zum
Dank für die glückliche Heimkehr vom Toni. Der
Herr Kaplan hat die heilige Messe gelesen. Die
Orgel hat wie mit Gottes Atem gebraust. Der
Kirchenchor hat so schön gesungen, als ob der

Herr Schulleiter selig ihn dirigiert hätte. Und die Glocke. Nachdem sie zum Vaterunser geläutet hatte, da hat in die Stille hinein der Herr Pfarrer Kammerer sich vernehmen lassen, mit seiner dünnen, zittrig gewordenen Greisenstimme.
»Herr, unser Vater im Himmel«, hat er gebetet. »Bewahre uns, Herr, den Frieden! Den Frieden in unserm Dorf und in dieser Welt – jetzt und immerdar. Amen, Amen.«

Weihenstetten. Ich kenne den Ort,
kenne seinen wirklichen Namen.
Und ich weiß, daß sich damals in
jenem kleinen Dorf im bayrischen
Oberland alles, wovon ich hier erzähle,
wirklich zugetragen hat.
Daß es die Leute von Weihenstetten ge-
schafft haben, die Glocke des Dorfes
über den Krieg zu retten, verdanken
sie ihrem Mut und ihrer Entschlossenheit.
Mit Mut und Entschlossenheit läßt
sich mancher gegen Gewalt und
Willkür bewirken auf dieser Welt –
übrigens auch im Frieden.

Otfried Preußler

Die Deutsche Bibliothek – CIP-Einheitsaufnahme

Die Glocke von Weihenstetten /
Otfried Preußler; Herbert Holzing. –
ISBN 3 522 16921 2
NE: Preußler, Otfried; Holzing, Herbert

Schrift: Bodoni Old Face
Satz: KCS GmbH in Buchholz/Hamburg
Reproduktion: Photolitho AG, Gossau/Zürich
Druck und Bindung: Proost N.V., Turnhout
© 1995 by K. Thienemanns Verlag in Stuttgart – Wien
Printed in Belgium. Alle Rechte vorbehalten
5 4 3 2 1 95 96 97 98